Vive
la Princesse
Finemouche

Pour l'édition originale publiée en 2004 par Penguin Books Ltd,
sous le titre *Long Live Princess Smartypants*
© Babette Cole, 2004

Pour l'édition française
© Éditions du Seuil, 2005
Dépôt légal : septembre 2005
ISBN : 2-02-080219-8
N° 80219-1
Traduction : Seuil jeunesse
Loi 49-956 du 16 juillet 1949
sur les publications destinées à la jeunesse
Tous droits de reproduction réservés
Imprimé en Chine

www.seuil.com

Vive la Princesse Finemouche

Babette Cole

seuil jeunesse

Finemouche, princesse de Maboulie,
adorait jouer avec
ses bébés dragons.

« Comme j'aimerais avoir
un bébé à moi »,
pensait-elle.

« Du moment que
je n'ai pas à épouser un
de ces abrutis de princes… »

Elle demanda alors à ses parents si elle pouvait avoir
un bébé sans être mariée.

« Certainement pas ! » lui répondit la reine, sa mère,
qui était fort occupée à tricoter pour sa prochaine
exposition d'art moderne.

Et elle ajouta : « Je te rappelle que tu es chargée du buffet du vernissage de mon expo. Je veux qu'il y ait de la gelée de baies royales. Mes invités vont adorer ça ! »

Mais Finemouche détestait faire la cuisine.
Alors, elle téléphona à l'épicier royal afin
qu'il lui livre un sachet de gelée de baies
royales instantanée.

Mais la ligne était très mauvaise…

« Entendu, Votre Majesté, un sachet
de gelée de BÉBÉ royal instantanée.
C'est parti ! » répondit l'épicier.

Princesse Finemouche était en retard. Elle ne prêta donc pas attention à l'étiquette du sachet qui lui avait été livré et se contenta de suivre les instructions au dos :

1) Mélanger le contenu du sachet avec un demi-litre de lait.

2) Battre énergiquement sur feu vif pendant quinze minutes.

3) Ajouter une bonne dose de poivre.

4) Laisser lever sous
un linge humide.

Le résultat fut

INCROYABLE !

Princesse Finemouche en oublia
complètement la gelée
de baies royales !

Elle était enchantée par son
nouveau bébé... d'autant qu'il
avait l'air très costaud
pour son âge.

Le bébé détruisit complètement l'exposition.
Tous les dignitaires du royaume, effrayés,
prirent la fuite, sauf son oncle…

… le cruel comte de Tripemolle !

Il enleva le bébé…

… et fila au château Lapétoche,
demeure de l'ignoble
prince Flambard.

Ce dernier n'avait jamais
pardonné à Finemouche
d'avoir refusé de l'épouser
et de l'avoir transformé
en crapaud.

Depuis, il complotait avec le comte
de Tripemolle pour prendre
le pouvoir à Maboulie.

Tous deux pensaient que le bébé était l'arme secrète
dont ils avaient besoin.
« Quel charmant enfant, coassa le prince Flambard.
Bien joué mon ami ! »

Princesse Finemouche convoqua ses dragons chéris.
« Il faut récupérer mon bébé, ordonna-t-elle.
Entre de mauvaises mains, c'est un véritable danger. »
« Et les bébés c'est beaucoup de responsabilités,
répondit Lanceflamme. Ça me connaît : j'en ai eu trois mille. »

Alors, Lanceflamme en tête,
l'escadron de dragons chéris
partit en trombe.

Les dragons crachèrent flammes
sur flammes sur le château
jusqu'à ce qu'il s'embrase.
Ses occupants sortirent
en courant et furent
immédiatement capturés !

Finemouche et Lanceflamme
rentrèrent par une fenêtre
et sortirent par une autre,
récupérant le bébé au vol.

« Ah, vous voilà ! dit Finemouche à ses parents. Je viens de sauver
le royaume de Maboulie d'un terrible péril ! »

« Formidable, répondit sa mère. Je suis ravie que tu sois
si courageuse, car tu pourras nous remplacer…

… pendant que nous ferons le tour du monde avec mon expo. Et ne laisse pas ce redoutable gamin mettre le royaume à feu et à sang pendant notre absence. »

PLAF

Princesse Finemouche découvrit vite qu'il
était plus facile de gouverner un royaume
que de faire obéir son bébé.

Maintenant qu'il avait
découvert sa force, il était
devenu la terreur du palais.

« Certaines personnes ne sont peut-être
pas faites pour avoir des enfants »,
soupira Finemouche.

Elle eut alors une idée de génie !
Elle demanda à Lanceflamme
de lui confier un de ses œufs.
« Avec plaisir, répondit-elle,
mais n'oublie pas de le couver
pendant huit jours. »

Pauvre Princesse Finemouche ! Elle ne ferma pas l'œil de la semaine…

… mais ça en valait bien la peine.

Le bébé obéissait au doigt et à l'œil
à ses nouveaux frères, et désormais
il fut sage comme une image.

Alors, quand ses parents téléphonèrent pour prendre
de ses nouvelles, Princesse Finemouche put
répondre sans mentir : « Je contrôle
très très bien la situation. »